© Hachette Livre, 2012 pour la présente édition. Tous droits réservés.
Novélisation : Natacha Godeau.
Conception graphique : Valérie Gibert & Philippe Sedletzki.
Exécution : Marion Janet.

Hachette Livre, 58, rue Jean-Bleuzen, 92178 Vanves Cedex.

Le combat de Sacha

H hachette
JEUNESSE

Pikachu

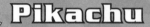

Ce Pokémon de type Électrik est extraordinaire ! Non seulement il est très malin, mais il est aussi extrêmement gentil, comme Sacha. D'ailleurs, il ne quitte jamais son Dresseur : on peut même dire que c'est son meilleur ami !

Sacha

Sacha vient de Bourg Palette, un petit village dans la région de Kanto. Il parcourt le monde pour accomplir son rêve : devenir un Maître Pokémon. Mais avant ça, il doit s'entraîner à devenir le meilleur Dresseur ! Et il est sur la bonne voie : c'est un garçon tellement gentil que tout le monde veut devenir son ami, même les Pokémon qu'il rencontre !

Rachid

Rachid est un expert en Pokémon : il connaît presque tout à leur sujet. Pourtant, il n'en attrape pas beaucoup ! En réalité, ce qui l'intéresse vraiment, c'est de rire avec ses amis. Et encore plus de leur faire des petits plats...

Iris

Iris n'a peur de rien, et certainement pas de dire ce qu'elle pense ! Dès qu'elle trouve quelque chose mignon, la jeune fille le veut... surtout si c'est un Pokémon !

Feuillajou

Tout comme son Dresseur Rachid, Feuillajou est gentil et toujours prêt à aider ceux qu'il apprécie. Ce Pokémon Singe Herbe de type Plante peut en guérir d'autres grâce aux feuilles qui poussent sur sa tête.

Coupenotte

Coupenotte est un Pokémon de type Dragon. Il suit Iris partout où elle va. C'est un Pokémon qui fait tout son possible pour aider les autres.

La Team Rocket

Jessie,
James et le Pokémon
parlant Miaouss forment un trio
diabolique. Ils passent leur temps
à essayer de voler des Pokémon !
Cette fois, c'est leur chef, Giovanni,
qui leur a donné la mission d'attraper
le plus de Pokémon possible à Unys
pour monter une armée...

Reshiram

Zekrom
et Reshiram sont
des Pokémon légendaires.
Uniques en leur genre, ils sont tellement
puissants qu'ils peuvent bouleverser
la météo ! Lorsque Reshiram libère
sa chaleur et que Zekrom produit
de l'électricité, il vaut mieux
s'éloigner !

Zekrom

Chapitre 1

Les trois Champions d'Arène

□ⓞgoesse ! Enfin !

Sacha est fou de joie. Son premier combat d'Arène depuis son arrivée dans la région d'Unys doit avoir lieu ici.

—J'ai hâte de savoir contre qui on va se battre. Pas toi, Pikachu ?

— Pi-ka ! Pi-ka !

À ces mots, Iris, restée en arrière, se moque gentiment de son ami :

— Mon pauvre Sacha ! Je parie que tu n'as aucune idée de la rue où se trouve l'Arène…

Comme pour confirmer ce que pense sa Dresseuse, Coupenotte croque vivement une pomme sur l'épaule de la fillette. À ce moment-là, un garçon aux cheveux verts approche.

— Tiens, un Coupenotte ! C'est vrai que c'est le compagnon idéal pour une jolie demoiselle comme toi.

— Merci !

Le compliment fait rougir Iris. Puis, l'inconnu se tourne vers Sacha et s'exclame :

— Oh, tu possèdes un Pikachu ? Ils sont rares à Unys. Je n'en avais encore jamais vu !

— On vient de la région de Kanto. Je m'appelle Sacha. Et toi ?

— Je suis Rachid, Connaisseur Pokémon !

Sacha écarquille les yeux.

— Connaisseur Pokémon ? Qu'est-ce que c'est ?

— En gros, je m'assure que les Dresseurs et leurs Pokémon s'accordent le mieux possible.

— Ça a l'air super ! Je parie que Pikachu et moi sommes faits pour nous entendre !

À côté de lui, Iris soupire :

— Mais pourquoi tu perds ton temps à bavarder ? Tu n'es pas venu ici pour ça !

Son ami hoche la tête et ajoute :

— Tu as raison. Nous cher-
chons l'Arène d'Ogoesse, Rachid.
Je dois y livrer mon premier
combat.

— Ça tombe bien, suivez-moi…
Il les conduit à un grand bâti-
ment orné de colonnes, à
l'angle de la rue. Sacha pousse
la porte… et s'immobilise sur le
seuil, stupéfait. Il croyait entrer

dans une Arène, et il se retrouve dans une salle de restaurant !

— Bienvenue ! les accueillent deux serveurs qui ressemblent traits pour traits à Rachid.

L'un d'eux a les cheveux bleus, l'autre les cheveux rouges : c'est la seule chose qui les différencie.

— Que commanderez-vous ? Notre plat du jour est fantastique. Mais si vous préférez d'abord boire quelque chose, nous…

— Stop ! les interrompt Sacha.

C'est une erreur ! Tout ce que je veux, c'est me rendre à l'Arène !

Alors qu'il tourne les talons, impatient, Rachid le retient.

— Avec mes frères, on va t'accorder ce que tu demandes !

Sur quoi, le mur du fond du restaurant s'ouvre sur l'Arène d'Ogoesse. Les triplés se présentent :

— Nous sommes les trois Champions d'Arène ex æquo : Rachid, Armando et Noa !

Iris, émerveillée, pénètre dans l'enceinte de combat avec son ami. Sans perdre une

15

seconde, elle monte s'installer dans les gradins prévus pour les spectateurs.

Dans l'Arène, Rachid explique :

— Puisque tu veux combattre, Sacha, choisis ton adversaire. Tu as le choix entre Armando, Noa et moi. Si tu décroches la victoire, tu remporteras le Badge Triple ! Voici nos Pokémon : mon Feuillajou, le Flamajou d'Armando, et le Flotajou de Noa.

Vite, Sacha consulte son Pokédex.

— Feuillajou, un Pokémon Singe Herbe. Les feuilles de sa houppe éliminent la fatigue.

Flamajou, un Pokémon Brûlant. Quand il s'énerve, sa mèche chauffe à trois cents degrés. Et Flotajou, un Pokémon Jet d'Eau. Il stocke sur sa tête une réserve d'eau énergétique.

Sacha hésite. Un type Plante, un type Feu, un type Eau : ils sont tous aussi intéressants !

— Alors, qu'est-ce que tu décides ? lance Rachid.

— J'aimerais vous affronter tous les trois !

Chapitre 2

Le triple défi

Le choix de Sacha étonne tout le monde. Mais les Champions d'Arène sont d'accord.

— Pour gagner, tu devras donc remporter deux combats sur trois, précise Noa.

Armando et son Flamajou entrent en scène. Ils se placent face à Sacha, à l'autre extrémité de l'enceinte. Puis Rachid annonce :

— Vous avez chacun droit à un seul Pokémon. Le match sera terminé dès que l'un d'eux ne sera plus en mesure de se battre. Attention, prêts ?

Vite, Sacha jette sa Poké Ball.

— Gruikui, je te choisis !

Le Pokémon Cochon Feu apparaît sur la piste.

Armando ricane.

— Un type Feu aussi ? Tu as du courage, Sacha… parce que mon Flamajou est Champion d'Arène, ne l'oublie pas ! Allez, c'est parti !

— Gruikui, utilise Charge ! ordonne aussitôt Sacha.

Obéissant, le Pokémon Cochon Feu se précipite droit sur son adversaire. Il lui fonce dessus comme un boulet de canon, pourtant Flamajou encaisse le coup et se redresse.

— Poing de Feu ! lui crie Armando.

D'un direct du droit incandescent, il étourdit Gruikui.

Ce dernier se relève malgré la force du coup, et Armando enchaîne :

— Ne le laisse pas contre-attaquer, Flamajou ! Utilise Lance-Flamme !

Le Pokémon Brûlant gonfle les joues, soufflant une longue flamme en direction de son adversaire. Sacha riposte :

— Flammèche, Gruikui !

Une pluie de boules de feu sort du groin du Pokémon Cochon Feu.

Malheureusement, la flamme de Flamajou est plus puissante…

— Bravo ! se réjouit Armando. À présent, utilise Tunnel !

Ni une, ni deux, son Pokémon s'enfouit dans le sol… et émerge juste sous Gruikui. Sacha se met à hurler :

— Cours !

Mais Armando ne s'arrête pas là :

— Flamajou, Tunnel, encore une fois !

Le Pokémon Cochon Feu en a assez ! Il plonge dans le souterrain à la suite du Pokémon Brûlant, et tous deux en ressortent en même temps, Gruikui mordant la queue de Flamajou !

—Excellent ! le félicite Sacha.

Utilise Flammèche et finis par Charge !

Gruikui obéit à nouveau et Flamajou s'écroule, assommé.

— Flamajou n'est plus capable de se battre, Gruikui a gagné, déclare Rachid. Le vainqueur de ce premier match est donc Sacha !

— Hourra ! s'écrie Iris en applaudissant.

Armando se montre beau joueur.

— Ton Gruikui est impressionnant, Sacha.

Après l'avoir caressé, Sacha fait rentrer Gruikui dans sa

Poké Ball : il a bien mérité de se reposer.

C'est au tour de Noa de prendre place dans l'Arène. Il est accompagné de Flotajou. Sacha sourit d'un air assuré.

— Un type Électrik contre un type Eau : j'ai confiance en toi, Pikachu !

Le Pokémon préféré du garçon se prépare pour le duel.

— Parfait ! Que le deuxième combat commence ! lance Rachid.

Pikachu se concentre.

— Utilise Vive-Attaque ! conseille Sacha.

Le Pokémon Souris s'élance, des étincelles jaillissent de son corps. Mais grâce à Reflet, Flotajou se démultiplie et évite le coup. Noa est satisfait.

— En avant, Flotajou, utilise Griffe !

Le Pokémon Jet d'Eau frappe Pikachu.

— Pistolet à O ! ordonne Noa dans la foulée.

Sacha trépigne :

— Esquive, Pikachu ! Ouais, génial ! Maintenant, Tonnerre !

Une nouvelle fois, Flotajou pare l'attaque électrique, crachant un violent jet d'eau aux pieds de son adversaire.

Noa semble très sûr de lui. Il alterne les attaques et les défenses à un rythme étourdissant. Bientôt, Pikachu est à terre…

— Debout ! l'encourage Sacha. Tu peux réussir !

Chapitre 3

Un combat difficile

Pikachu rassemble ses dernières forces et réussit à se relever.

— Magnifique, Pikachu ! Utilise Électacle !

À ces mots, le petit Pokémon jaune lance des éclairs. Mais

Noa a mis au point une stratégie anti-type Électrik…

— À toi de jouer, Flotajou. Lance-Boue, suivi de Pistolet à O !

En moins de deux, la vase et l'eau annulent les pouvoirs électriques de Pikachu, qui s'effondre. Et cette fois, c'est pour de bon !

— Pikachu a été maîtrisé par son adversaire. Pour ce deuxième match, Flotajou offre une victoire à notre Champion d'Arène ! s'exclame Rachid.

Pikachu s'en veut terriblement. Sacha le réconforte :

— Tu t'es bien battu, c'est l'essentiel !

— Pi-ka…

Rachid acquiesce.

— Oui, Sacha ! Ton Pikachu et toi, vous formez une sacrée équipe. Mais je suis curieux de voir qui va se mesurer à mon extraordinaire Feuillajou !

Dans les gradins, Iris est captivée.

Sacha n'obtiendra le Badge Triple d'Ogoesse qu'à condition de gagner ce dernier combat… Quel suspense !

Armando avance d'un pas dans l'enceinte.

— La troisième et ultime rencontre du jour oppose Sacha à Rachid.

Feuillajou se place en position. Sacha jette une Poké Ball en annonçant :

— Moustillon, je te choisis !

Le Pokémon Loutre se dresse fièrement dans l'arène. Rachid est surpris. Un type Eau contre un type Plante ? Son adversaire

ne met pas toutes les chances de son côté !

— Ta tactique est bizarre, Sacha. Mais puisque c'est ce que tu souhaites…

Soudain, Moustillon panique en apercevant Feuillajou. Sacha tente de le remotiver :

— Tu es un puissant combattant, Moustillon ! Tu te rappelles comme tu as été brave le jour où tu as sauvé Pikachu et Coupenotte des griffes de la Team Rocket ?

Oui, le Pokémon Loutre s'en souvient. Et voici qu'il retrouve tout son courage : il est maintenant prêt à combattre !

— Moustillon, utilise Charge !

Celui-ci fonce vers le Pokémon Singe Herbe, qui esquive sans mal.

— Balle Graine ! commande Rachid.

Feuillajou mitraille le pauvre Moustillon, terrorisé. Rachid continue :

— Utilise Morsure !

Le Pokémon Loutre ne peut éviter le coup. Sacha riposte :

— Pistolet à O !

Mais Moustillon a beau viser de son mieux, le Pokémon Singe Herbe bondit de droite et de gauche avec agilité. Enfin, le jet d'eau l'atteint. Rachid se moque de ses adversaires :

— Pas mal, vous vous améliorez ! Feuillajou, il est temps d'utiliser Lance-Soleil !

Sacha écarquille les yeux. Lance-Soleil est une attaque redoutable : Feuillajou absorbe les rayons du soleil pour les renvoyer contre son adversaire !

— Vite, Moustillon, reflète-les !

S'emparant de son coupillage, le Pokémon Loutre parvient à détourner les terribles rayons. Rachid est stupéfait : ce Moustillon est supérieur à tous les autres Moustillon d'Unys !

— Balle Graine, Feuillajou ! s'empresse-t-il d'ajouter.

Sans hésiter, Sacha contre-attaque :

— Bloque les rafales avec ton coupillage, Moustillon. Voilà, bravo ! À présent, utilise Coquilame !

Feuillajou mitraille à nouveau le Pokémon Loutre, qui perd son coupillage dans la bataille… et s'immobilise, épuisé.

— Déjà fatigué ? ironise Rachid. Quelle déception ! En fin de compte, ce match manque de saveur, Sacha !

Rachid est peut-être Champion d'Arène, mais il se vante un peu trop au goût de Sacha…

— Mon Feuillajou est le plus brillant combattant de tous les temps ! déclare-t-il.

— Ah oui ? Eh bien, tu ferais mieux de te méfier de mon Moustillon, Rachid ! menace Sacha.

— Ton type Eau ne peut rien contre mon type Plante !

— C'est ce qu'on va voir ! Moustillon, vise le mur avec Pistolet à O !

Le mur ? La stratégie de Sacha étonne tout le monde. Pourtant,

elle est astucieuse : en rebondissant contre le mur, le jet d'eau touche le coupillage et le renvoie directement entre les pattes du Pokémon Loutre.

— Utilise Coquilame !

Moustillon s'élance sur Feuillajou, le frappant par surprise avec son coupillage.

— Riposte avec Morsure ! ordonne Rachid au Pokémon Singe Herbe.

Vite, Moustillon brandit à nouveau son coupillage. Contre toute attente, Feuillajou s'écroule, à bout de forces.

— Feuillajou ne peut plus se battre : Moustillon a gagné. Sacha est le grand vainqueur ! déclare Armando.

Iris n'en revient pas. Quelle victoire !

Dans l'enceinte, les triplés remettent un insigne tricolore à son ami.

— Voici le Badge Triple d'Ogoesse, Sacha. Félicitations ! Il prouve que tu as remporté les combats de notre Arène.

— Hourra, j'ai réussi ! C'est mon premier Badge de la région d'Unys !

Au Centre Pokémon

Sacha se rend au Centre Pokémon afin de redonner leurs forces à Gruikui, Moustillon et Pikachu. Pendant que l'Infirmière Joëlle et son assistant Nanméouïe, le Pokémon Audition, les auscultent, Rachid, très admiratif des techniques de combat de Sacha, rejoint le jeune Dresseur pour bavarder avec lui à la cafétéria. Au bout d'un long moment, l'Infirmière appelle :

— Sacha, tes Pokémon ont tous parfaitement récupéré.

Vite, le garçon retourne à l'accueil du Centre Pokémon. À ce moment-là, Iris arrive en courant, son Coupenotte dans les bras.

— Infirmière Joëlle ! Aidez-moi ! crie-t-elle, paniquée.

— Qu'est-ce qui se passe ?

— Coupenotte ne va pas bien.

Il s'est mis à briller après avoir été touché par une lumière rose, dehors, et il est immédiatement tombé dans un sommeil profond !

— Une lumière rose ? répète Sacha, surpris.

Son amie n'a pas le temps de lui en dire plus : une scientifique en blouse blanche surgit à son tour dans le Centre Pokémon. En apercevant Coupenotte, elle ordonne :

— Munna, réveille-le !

Le Pokémon Mangerêve approche du Pokémon Crocs en flottant dans les airs. Il aspire son rêve pour le projeter au plafond grâce à la Brume des Rêves. Une fois son songe terminé, Coupenotte cesse de briller et s'éveille.

— Tu rêvais que tu évoluais en Tranchodon, dit Iris. C'est mignon !

La scientifique se présente :

— Je suis le Docteur Oryse,

spécialisée dans la recherche sur les rêves. Cette lumière qui a plongé Coupenotte dans un profond sommeil a sans doute été créée par la Brume des Rêves de Mushana.

— Mushana est l'évolution de Munna ? devine Rachid.

— Exactement. C'est un Pokémon de type Psy qui a le

pouvoir de rendre réels les rêves qu'il vole aux autres.

Iris fronce les sourcils.

— Et ces lumières roses qui pleuvent sur Ogoesse, d'où proviennent-elles ?

— Des Vestiges du Rêve…

Chapitre 5

Les Vestiges du Rêve

Le Docteur Oryse accompagne Sacha et ses amis aux Vestiges du Rêve. En chemin, elle explique :

— Là-bas, vous ne verrez que des ruines. C'est un ancien Centre de Recherche Énergétique

49

Pokémon. On y étudiait un moyen de transformer la Brume des Rêves de Mushana en énergie positive. J'étais à l'origine de ce projet scientifique. Hélas, des gens malintentionnés ont tenté de s'approprier cette fabuleuse énergie dans le but d'assouvir leurs ambitions. Ils avaient soif de pouvoir ! Mais leurs rêves étaient si sombres et si puissants que Mushana, incapable de les traiter, s'est volatilisé. Et le centre a explosé.

Le Docteur Oryse pousse un soupir.

— J'ai tellement souffert de perdre Mushana que j'ai préféré tout abandonner. Et puis, ces lumières sont apparues. Ce sont des pluies d'énergie dues aux rêves. Munna a réagi bizarrement, je suis sûre qu'il a ressenti Mushana.

Après une longue marche, ils arrivent aux Vestiges du Rêve. Un brouillard rose enveloppe l'ancien complexe. Ils entrent dans la cour principale… et

tombent nez à nez avec Jessie, James et Miaouss !

— La Team Rocket ! s'écrient Sacha et Iris.

— Pour vous servir, rétorque Jessie. Notre mission est de rassembler une gigantesque armée de Pokémon afin de conquérir la planète. Nous venons pour prendre le contrôle d'Unys...

— Et l'énergie résiduelle qui traîne ici nous sera très utile, renchérit James.

— Mais les rêves ne devraient produire que de belles et bonnes choses ! proteste le Docteur Oryse.

Tout à coup, un cri étrange retentit sur le site.

—Mushana ! appelle la femme.

La scientifique n'arrive pas à y croire.

— Mushana, tu es là ! Oh, je t'en prie, montre-toi !

Là, dans une lueur rosée, le Pokémon Rêveur se matérialise dans les airs.

Aussitôt, la Team Rocket le fait prisonnier. James rugit :

— Nous prendrons bien soin de lui !

— Pikachu, il faut aider Mushana ! Utilise Électacle ! s'écrie Sacha.

— Munna, utilise Psyko ! enchaîne le Docteur Oryse.

Grâce à eux, Mushana est vite libéré. Mais Jessie lance son Chovsourir dans la bataille.

— Utilise Tornade !

Le Pokémon Chovsourir bat si fort des ailes qu'il soulève un écran de sable. Quand celui-ci se dissipe, la Team Rocket a disparu.

— Oh non, ils ont encore réussi à s'enfuir ! s'énerve Iris.

Sacha hausse les épaules.

— L'important, c'est que Mushana et le Docteur Oryse soient réunis.

— Et plus personne ne nous séparera, promet cette dernière

en serrant Mushana contre son cœur.

Après cette aventure, Iris, Sacha et Rachid retournent à l'Arène d'Ogoesse.

— Quoi ?! Tu veux accompagner Sacha dans son voyage de Dresseur Pokémon ? s'exclament Noa et Armando.

Ils ne s'attendaient pas à ça de la part de leur frère !

Rachid hoche la tête.

—Oui. Depuis que je l'ai combattu, j'ai compris que j'avais encore beaucoup à apprendre

avant de devenir le meilleur Connaisseur Pokémon du monde !

— Alors, bonne chance, frérot !

— On s'occupera de l'Arène jusqu'à ton retour !

Les triplés s'embrassent, puis Rachid ramasse son sac et rejoint Sacha.

— Prochain arrêt : l'Arène de Maillard ! décident les deux garçons.

Là-dessus, Iris bondit en travers de leur chemin. Pas question de leur dire au revoir : elle préfère les suivre !

Sacha, Iris et Rachid forment l'équipe idéale pour continuer leur route et réaliser leurs rêves…

Fin

Le Moustillon de Sacha

Type :

Eau

Attaque préférée :

Pistolet à O

Ce Pokémon Loutre de type Eau est l'un des plus fidèles compagnons de Sacha. Il aime tellement son Dresseur que c'est lui qui a voulu intégrer son équipe ! Et il a déjà prouvé à de nombreuses reprises qu'il méritait largement sa place. Joyeux et fier, il est très fort au combat… quand il ne panique pas !

Le voyage de Sacha est loin d'être terminé ! Retrouve le Dresseur dans le prochain tome :

La capture de Vipélierre

Après avoir remporté le fameux Badge Triple, Sacha se dirige vers l'Arène de Maillard, en compagnie d'Iris et de Rachid. En chemin, ils rencontrent une Vipélierre sauvage, que Sacha veut à tout prix intégrer à son équipe. Mais la Vipélierre a un caractère bien trempé, et refuse de se laisser faire… Comment attraper un Pokémon qui semble insaisissable ?

Pour en savoir plus, fonce sur le site
www.bibliotheque-verte.com

As-tu déjà lu les deux autres histoires de Sacha et Pikachu ?

Le problème de Pikachu

Un mystérieux Pokémon

Tu as toujours rêvé de devenir
un Dresseur Pokémon ?
Tu as de la chance :
grâce à cette nouvelle aventure,
tu vas pouvoir faire tes preuves.
Tu es prêt ? Cette fois-ci
c'est à *ton tour* de tous les attraper !

TABLE

PAPIER À BASE DE
FIBRES CERTIFIÉES

hachette s'engage pour
l'environnement en réduisant
l'empreinte carbone de ses livres.
Celle de cet exemplaire est de :
250 g éq. CO$_2$
Rendez-vous sur
www.hachette-durable.fr

Photogravure **Nord Compo** - Villeneuve d'Ascq

Imprimé en Roumanie par G. Canale & C. S.A
Dépôt légal : novembre 2012
Achevé d'imprimer : avril 2020
20.3065.8/21 – ISBN 978-2-01-203065-7
Loi n° 49-956 du 16 juillet 1949
sur les publications destinées à la jeunesse